Analyse d'œuvre

Rédigée par Jérémy Lambert

D1086949

Oscar et la
Dame rose

d'Éric-Emmanuel Schmitt

Profil
Littéraire

ÉRIC-EMMANUEL SCHMITT

- Né en 1960 à Sainte-Foy-lès-Lyon (France)
- **Quelques-unes de ses œuvres :**
  - *Le Visiteur* (pièce de théâtre, 1994)
  - *Monsieur Ibrahim et les Fleurs du Coran* (roman, 2001)
  - *La Nuit de feu* (roman, 2015)

Après avoir longtemps fréquenté les bancs de l'université, d'abord comme étudiant puis comme enseignant en philosophie, c'est vers la littérature qu'Éric-Emmanuel Schmitt choisit de se tourner. C'est à la suite d'une expérience personnelle, de type mystique, dans le désert algérien qu'il décide de se consacrer pleinement à cet exercice, qui représente pour lui un moyen d'accès privilégié à une meilleure connaissance de soi.

Attiré depuis longtemps par le théâtre, il est l'auteur de plusieurs pièces, dont *Le Visiteur*, qui est récompensé par trois Molières. Véritable touche-à-tout, Éric-Emmanuel Schmitt est un écrivain polymorphe, auquel aucun genre ne semble résister : des récits méta-physiques (tels ceux qui composent le Cycle de l'invisible, dont fait partie *Oscar et la Dame rose*) à l'uchronie (*La Part de l'autre*, 2001), en passant par la nouvelle (*Concerto à la mémoire d'un ange*, 2010), mais aussi le cinéma (*Odette Toulemonde*, 2007), la musique et l'opéra (*Ma vie avec Mozart*, 2005), et même la bande dessinée (*Les Aventures de Poussin 1er*, en collaboration avec le dessinateur Janry, 2013).

Traduit, publié et joué dans le monde entier, Éric-Emmanuel Schmitt est aujourd'hui codirecteur du théâtre Rive Gauche à Paris et membre du jury de l'académie Goncourt depuis 2016.

OSCAR ET LA DAME ROSE

- **Genre :** conte métaphysique épistolaire.
- **1re édition :** en 2002.
- **Édition de référence :** *Oscar et la Dame rose*, Paris, Albin Michel, 2002.
- **Personnages principaux :**
  - Oscar, un enfant de dix ans atteint d'une leucémie.
  - Mamie-Rose, bénévole de l'hôpital qui accompagne et soutient Oscar au cours de ses derniers jours.
  - Dieu.
- **Thématiques principales :** la maladie, la mort, l'enfance, le courage, la lâcheté, le pouvoir de la parole et le pouvoir de la fiction.

Oscar et la Dame rose est le troisième récit du Cycle de l'invisible (après *Milarepa* et *Monsieur Ibrahim et les Fleurs du Coran*). Publié en 2002, le livre devient un succès peu de temps après sa sortie (comme le montrent la mise en scène rapide dont il a fait l'objet ainsi que son adaptation cinématographique) et a acquis la reconnaissance des critiques.

Bien que la thématique abordée (la maladie de l'enfant) soit particulièrement difficile, Éric-Emmanuel Schmitt ne fait pas de son récit une histoire tragique ; au contraire, il choisit délibérément de l'ancrer dans la vie. Sans nier le drame qui a lieu, l'écrivain met en évidence le courage d'Oscar que l'on suit pas à pas, à travers les lettres qu'il adresse à Dieu. C'est avant tout le pouvoir de la parole et de la fiction qui guidera le jeune garçon vers l'acceptation de sa mort prochaine. Accompagné sur ce chemin par l'extravagante Mamie-Rose, une ancienne catcheuse à la carrière flamboyante, Oscar offre au lecteur une leçon de vie qu'il n'est pas prêt d'oublier.

LA VIE D'ÉRIC-EMMANUEL SCHMITT

| Portrait d'Éric-Emmanuel Schmitt.

Éric-Emmanuel Schmitt est né le 28 mars 1960 à Sainte-Foy-lès-Lyon, dans la région Rhône-Alpes. Écrivain francophone aux talents multiples, il est à la fois dramaturge, romancier, nouvelliste ou encore réalisateur. Résidant à Bruxelles depuis 2002, il a obtenu la naturalisation belge en 2008.

L'ATTRAIT DES LETTRES

Sa jeunesse, Éric-Emmanuel Schmitt la passe dans les paysages du Lyonnais. Ses parents sont enseignants en éducation physique. Quelques années plus tard, son père choisit ensuite d'emprunter la voie de la kinésithérapie – un détail qui aura son importance dans la vie de l'auteur et qui aura un impact sur l'écriture d'*Oscar et la Dame rose*. Adolescent plutôt rebelle, comme il se décrit lui-même, il affirme avoir été sauvé par la philosophie, qu'il considère comme une porte ouverte sur l'exploration de soi et sur la recherche de la liberté personnelle. Conscient très tôt de la vocation qui l'habite, Éric-Emmanuel Schmitt dévore les livres et s'applique à divers exercices de style, pastichant certains des plus grands noms de la littérature française.

Élève appliqué, il suit ses classes préparatoires au lycée du Parc à Lyon avant d'intégrer la prestigieuse École normale supérieure, de laquelle il sortira agrégé de philosophie. Dans ce que l'on peut vraiment appeler, au regard de son parcours ultérieur, une première vie, Éric-Emmanuel Schmitt poursuit une carrière académique classique : il soutient une thèse de doctorat portant sur Diderot et la métaphysique – qu'il publiera en 1997 sous le titre *Diderot et la philosophie de la séduction* –, enseigne dans plusieurs lycées avant de finalement être nommé maître de conférences en philosophie à l'université de Savoie à Chambéry.

LE RIDEAU SE LÈVE

C'est à cette époque que survient l'événement qui marquera sa carrière de manière décisive. La nuit du 4 février 1989, lors d'une expédition au Sahara, dans le massif montagneux du Hoggar (en Algérie), Éric-Emmanuel Schmitt fait une expérience mystique, soudainement étreint par un puissant sentiment d'absolu. Cette révélation marque un tournant dans la vie de l'auteur.

Ce bouleversement intime que constitue la nuit du Hoggar – dont il fait le récit dans *La Nuit de feu* – l'amène à sauter le pas entre l'écriture académique et l'écriture littéraire. Il rédige en 1989 *La Nuit de Valognes*, une pièce de théâtre qui est une variation originale de l'histoire de Don Juan. Publiée en 1991, la pièce est jouée à l'Espace 44 de Nantes. Mais c'est avec sa deuxième pièce, *Le Visiteur*, qu'Éric-Emmanuel Schmitt se fait connaître des critiques et du grand public. L'œuvre met en scène Sigmund Freud (fondateur de la psychanalyse, 1856-1939) et un mystérieux inconnu derrière la figure duquel peut apparaître celle de Dieu, peu après l'Anschluss de 1938 et juste avant l'exil de Freud et de sa fille Anna. Les échos d'*En attendant Godot* de Samuel Beckett (1952) résonnent dans ce drame qui pose la question de l'existence de la foi dans un contexte tourmenté où l'horreur de l'Histoire semble tout envahir. D'emblée, la pièce est triplement primée lors de la Nuit des Molières de 1994 (Molière du meilleur spectacle privé, Molière de l'auteur et Molière de la révélation théâtrale).

Conforté dans sa vocation, Éric-Emmanuel Schmitt quitte son poste de maître de conférences pour se consacrer pleinement à sa carrière littéraire de dramaturge. Le succès ne se fait pas démentir et, en 1997, sa pièce *Variations énigmatiques* est montée avec, dans les rôles principaux, Alain Delon et Francis Huster. C'est, encore à ce jour, la pièce la plus jouée de l'écrivain à travers le monde entier. En parallèle, l'auteur prend la plume pour des causes humanitaires, comme c'est le cas avec la courte pièce *L'École du diable*, écrite et réalisée en 1996 dans le cadre d'une soirée spéciale d'Amnesty International.

UNE ŒUVRE MULTIPLE

Le passage aux années 2000 est marqué dans son écriture par le changement : alors qu'il s'illustrait essentiellement en tant que dramaturge, Éric-Emmanuel Schmitt se tourne désormais vers le roman et publie, en 2000, *L'Évangile selon Pilate*, une vision croisée des derniers jours du Christ à travers les regards successifs de Jésus et de Ponce Pilate (préfet de Judée, Ier siècle apr. J.-C.). L'année suivante, il publie *La Part de l'autre*, roman dans lequel il imagine ce qu'aurait pu être l'Histoire si Hitler (1889-1945) avait été admis à l'École des Beaux-Arts de Vienne au lieu d'y être refusé.

Dans la production de l'écrivain, certains récits occupent une place spéciale : il s'agit des livres qui composent le Cycle de l'invisible (depuis *Milarepa* en 1997 jusqu'aux *Dix Enfants que Madame Ming n'a jamais eus* en 2012), dont les thématiques principales sont celles de l'enfance et de la spiritualité.

Curieux de nature, Éric-Emmanuel Schmitt s'est essayé à de nombreux genres littéraires. Outre des recueils de nouvelles (dont *Concerto à la mémoire d'un ange*, prix Goncourt de la nouvelle en 2010), il est aussi l'auteur en 2005 d'une autofiction intitulée *Ma vie avec Mozart*. Si les deux titres font explicitement référence à la musique, ce n'est pas un hasard. L'écrivain est féru de musique classique qu'il connaît bien : outre Mozart (dont il a traduit en français *Les Noces de Figaro* et *Don Giovanni*), c'est un passionné de Bizet (compositeur français, 1838-1875) qu'il met en scène dans un spectacle intitulé *Le Mystère Georges Bizet*, à l'opéra national de Paris en 2012.

Enfin, Éric-Emmanuel Schmitt s'est également intéressé à l'écriture cinématographique. On retient de lui ses deux longs métrages : *Odette Toulemonde* (réalisé en 2007, avec Catherine Frot et Albert Dupontel, dont l'auteur tire pendant le tournage la nouvelle éponyme, publiée en 2006, avant la sortie du film) et *Oscar et la Dame rose* (réalisé en 2009, adapté du récit publié en 2002).

Traduit dans plus de 40 langues et joué dans plus de 50 pays, Éric-Emmanuel Schmitt s'est vu attribuer de nombreuses récompenses, signes d'une œuvre riche et singulière : il est fait chevalier de l'ordre des Arts et des Lettres en 2000, reçoit le Grand Prix du théâtre de l'Académie française pour l'ensemble de son œuvre en 2004, et est élu au fauteuil n° 33 de l'Académie royale de langue et de littérature françaises de Belgique en 2012.

RÉSUMÉ D'*OSCAR ET LA DAME ROSE*

L'HÔPITAL DES ENFANTS

Oscar et la Dame rose est un ensemble de 14 lettres, dont les 13 premières sont écrites par Oscar, un garçon âgé de 10 ans qui souffre d'une maladie incurable. Oscar vit à l'hôpital, entouré d'autres enfants malades : Bacon, le grand brûlé ; Peggy Blue, la petite-fille à la « maladie bleue » ; Einstein, un jeune hydrocéphale ; Pop Corn, un enfant souffrant d'une obésité dangereuse... Et puis il y a Mamie-Rose, une « dame rose », une bénévole qui donne de son temps pour visiter les enfants malades qui séjournent à l'hôpital. Oscar aime beaucoup Mamie-Rose, cette vieille dame qui dit être une ancienne catcheuse professionnelle. Il apprécie tout particulièrement son franc-parler, lui qui supporte de plus en plus difficilement le secret dont les autres adultes (le Dr Düsseldorf, les infirmières, ses parents) l'entourent quant à l'imminence de sa mort. C'est d'ailleurs Mamie-Rose, qui, après avoir perçu la colère qui gronde à l'intérieur du jeune garçon, lui propose de prendre la plume et d'écrire à Dieu, afin de s'exprimer et de partager avec lui ses doutes, ses peurs, mais aussi ses joies et ses découvertes. Oscar est d'abord réticent à l'idée d'écrire à Dieu : il se fâche sur Mamie-Rose, lui faisant comprendre qu'on lui avait déjà fait « le coup du Père Noël » (p. 19). Mais s'adresser à Dieu, c'est bien autre chose, lui assure l'ancienne catcheuse, qui le met en garde : à force de ruminer, « tu vas devenir une décharge à vieilles pensées » (p. 20).

Sur le conseil de Mamie-Rose, qui lui raconte la légende des 12 jours divinatoires (ces 12 journées précédant l'an neuf dont chacune est une image miniature des 12 mois à venir), Oscar décide de vivre sa vie en accéléré, chaque nouvelle journée équivalant à dix années de ce qu'il aurait pu être amené à vivre s'il n'avait pas été malade. La succession des lettres laisse apparaître un cheminement personnel en plusieurs étapes.

VIVRE SA VIE EN ACCÉLÉRÉ

Après avoir présenté sa démarche d'écriture à Dieu, les lettres 2 à 6 représentent la période qui s'étend entre la naissance d'Oscar et ses 50 ans. C'est une période de révolte, durant laquelle il réalise de nombreuses expériences, parfois douloureuses. La lettre 2 s'ouvre sur l'annonce de la mort prochaine du garçon. Alors qu'il est censé ignorer la visite que rendent ses parents au Dr Düsseldorf, son médecin référent, Oscar entend ce dernier leur annoncer l'abandon définitif de tout traitement médical. Or, plus que la nouvelle en tant que telle, c'est la réaction de ses parents qui blesse le jeune garçon : incapables d'affronter leur fils à la suite de cette déclaration, ceux-ci quittent l'hôpital, faisant naître en lui une profond sentiment d'abandon.

Les lettres qui suivent racontent et thématisent pêle-mêle :

- **la contestation parentale.** Les difficultés de communication qu'il rencontre avec ses parents, le malaise et l'incompréhension de ces derniers se dressant face à la colère d'Oscar ;
- **les émois amoureux.** Les sentiments qu'il ressent pour la jolie Peggy Blue ; sa confrontation avec Pop Corn pour savoir lequel des deux garçons est le plus digne de la défendre ; son dépit qui l'amène à embrasser Sandrine, surnommée la Chinoise à cause de la perruque noire de jais qu'elle porte ; l'aveu de Peggy Blue, qui souhaite que ce soit lui qui la protège des fantômes de l'hôpital qui réveillent les enfants pendant la nuit ; leur première nuit passée ensemble à écouter la *Valse des flocons* issue du ballet

Casse-Noisette ; leur mariage ; l'opération de Peggy, puis les difficultés que vit le « couple » alors que Peggy Blue apprend le baiser échangé entre Oscar et Sandrine ;

- **la révolte face à la mort**. Oscar sait qu'il va mourir, et même s'il semble accepter en apparence cette nouvelle, celle-ci le scandalise. Lors d'une brève sortie qu'elle lui propose, Mamie-Rose emmène Oscar rendre visite à Dieu. Dans une chapelle, tous deux évoquent la souffrance du Christ, et, partant de la distinction entre la souffrance physique et la souffrance morale, la dame rose amène progressivement le jeune garçon à interroger et à apprivoiser sa propre peur de la mort.

Cette vie mouvementée, faite d'oppositions et de combats personnels, amène Oscar à une remise en question, une crise que l'on perçoit nettement dans la lettre 7, dans laquelle il relate sa fugue de l'hôpital. Aidé par les autres enfants, qui le hissent à l'intérieur de la voiture de Mamie-Rose, Oscar se présente à la maison de cette dernière, qui découvre avec surprise le petit garçon à sa porte en cette veillée de Noël. Après une longue discussion, Oscar, rejoint par ses parents, passe la soirée chez la dame rose, signe d'une réconciliation et d'un apaisement.

VIVRE COMME SI DEMAIN N'EXISTAIT PAS

Les lettres 8 à 12 représentent la période qui s'étend entre la soixantaine et l'âge vénérable de 110 ans. Contrairement à la première période de la vie du garçon, celle-ci est plus apaisée. Les lettres retracent les discussions entre Oscar et Mamie-Rose, après le retour du garçon à l'hôpital. Le lecteur assiste à des conversations sereines au cœur desquelles on retrouve toujours la question métaphysique du mystère de la vie. À l'image de la plante du Sahara qui vit sa vie en une seule journée, Oscar apprend à vivre l'instant présent, jusqu'au point culminant de la visite de Dieu, dans le matin d'un monde sans cesse renouvelé. Dans le crépuscule de son existence, Oscar comprend que la vie est un prêt qui nous est fait et que c'est ce prêt mystérieux que nous nous devons de rendre un jour qui en fait toute sa valeur. Avec l'impression d'avoir vécu ce qu'il avait à vivre, Oscar, âgé de plus de 110 ans, attend la mort dans la plénitude.

La dernière lettre n'est pas écrite de la main d'Oscar, mais de celle de Mamie-Rose. C'est par elle que l'on apprend la mort du petit garçon. La dame rose remercie Dieu d'avoir pu faire la connaissance du petit garçon sur lequel elle pensait veiller alors que « c'était lui, en fait, qui veillait sur nous » (p. 99).

L'ŒUVRE EN CONTEXTE

LES RACINES BIOGRAPHIQUES D'*OSCAR ET LA DAME ROSE*

Si *Oscar et la Dame rose* apparaît comme un récit plein de vérité, c'est en partie parce qu'Éric-Emmanuel Schmitt connaît bien le milieu des enfants malades qui séjournent à l'hôpital, milieu qu'il a eu l'occasion de côtoyer lorsque lui-même était enfant. Il s'en confie sur son site Internet :

> « Enfant, j'ai beaucoup fréquenté les hôpitaux. Non pas que j'ai été souvent malade, mais parce que j'accompagnais mon père qui soignait les enfants. Kinésithérapeute, il travaillait dans des cliniques pédiatriques, des maisons pour infirmes moteurs cérébraux, ainsi que des centres pour sourds et muets. »

C'est donc dans ses propres souvenirs qu'Éric-Emmanuel Schmitt puise la matière d'*Oscar et la Dame rose*, insufflant à son texte un réalisme qui ne confine cependant pas à l'autobiographie. Car Oscar, même s'il aurait pu être l'un de ces garçons ou l'une de ces filles devenus les amis de l'auteur, est d'abord un personnage de fiction.

Ces rencontres, plutôt insolites, qu'a faites Éric-Emmanuel Schmitt lui ont permis de faire l'expérience de la normalité et de la différence (« Les premières fois, par réflexe, j'eus peur. Peur des enfants différents »), mais aussi de la peur (« Très vite, pour moi, la mort fut proche »), alors même qu'il n'était encore qu'un enfant. L'écrivain est allé puiser dans ces impressions fortes pour écrire *Oscar et la Dame rose* et pour dévoiler l'intelligence de ces enfants, leur humour vif et leur capacité à la dérision, signes d'une force intérieure extraordinaire, mais aussi d'une fragilité partagée. Cette fragilité est avant tout celle de la solitude « due à l'absence des parents ou – pire – à l'incapacité des parents à conserver une relation avec un enfant malade », thématique qui est l'un des enjeux majeurs du récit.

Avec *Oscar et la Dame rose*, Éric-Emmanuel Schmitt se lance un défi de taille : parler de la mort et, qui plus est, de celle d'un enfant. L'écrivain refuse de présenter ce qui demeure encore un tabou dans notre société sous l'angle du pathos : sans en occulter le caractère dramatique, il met davantage l'accent sur l'incroyable énergie qui se dégage d'Oscar, plutôt que sur l'injustice de sa situation. Il fait le choix de montrer l'enfant vivant, qui accepte la maladie et la mort, et non l'enfant mourant.

Le récit s'inscrit dans une veine qui est celle de la littérature du deuil, qui se développe aujourd'hui de façon privilégiée. On peut classer les ouvrages qui appartiennent à cet ensemble en fonction d'au moins trois critères :

- **la vérité.** S'agit-il d'un témoignage, d'une histoire vraie, ou d'une fiction ?
- **le protagoniste.** Le récit met-il en scène la mort d'un adulte ou d'un enfant ?
- **le point de vue.** Est-il extérieur (un proche de la personne) ou intérieur (la personne elle-même) ?

Si les témoignages sont fréquents parce que l'écriture peut permettre la réalisation du deuil, les récits de fiction sont plus rares. Pourtant, c'est bien ce que propose Éric-Emmanuel Schmitt dans *Oscar et la Dame rose*, accentuant encore la singularité de son récit en choisissant comme personnage principal un enfant qui prend lui-même la parole.

LE CYCLE DE L'INVISIBLE : ENTRE ENFANCE ET SPIRITUALITÉ

Oscar et la Dame rose est le troisième des récits qui composent le Cycle de l'invisible, qui comprend également : *Milarepa, Monsieur Ibrahim et les Fleurs du Coran, L'Enfant de Noé* (2004), *Le Sumo qui ne pouvait pas grossir* (2009) et *Les Dix Enfants que Madame Ming n'a jamais eus* (2012).

Ces six livres (auxquels devraient encore s'en ajouter deux) s'articulent autour de deux thématiques : l'enfance et la spiritualité. Ce qui intéresse Éric-Emmanuel Schmitt, ce n'est pas l'institution religieuse, mais bien la démarche spirituelle en tant qu'elle est une quête personnelle qui répond à un appel au mieux-être. Évoquant le bouddhisme, le soufisme, le judaïsme, le christianisme ou encore le confucianisme, ces récits ont connu un grand succès en librairie et ont été adaptés au théâtre.

Philosophe de formation, Éric-Emmanuel Schmitt rapproche volontiers les démarches spirituelle et philosophique. Lorsqu'elles sont orientées vers la recherche de la vérité, toutes deux ont pour méthode commune la dialectique, c'est-à-dire la discussion, le questionnement qui se construit dans le dialogue. Par exemple, dans *Oscar et la Dame rose*, la présence de Dieu permet à l'enfant « de gagner en sérénité, en amour », comme l'auteur le précise sur son site Internet.

En réunissant ces divers récits au sein du Cycle de l'invisible, l'idée que souhaite transmettre l'écrivain est celle d'un retour aux propos fondateurs des religions et aux philosophies sur lesquelles ils s'appuient : un message de tolérance réciproque, d'écoute mutuelle, s'harmonisant dans la perspective d'un objectif commun qui est – ou qui devrait être – celui de la « vie bonne », du bonheur de l'être humain, de « la recherche de la sagesse », comme le mentionne l'auteur dans un entretien accordé à *L'Hebdo* en 2012. Une telle intention est loin d'être anodine dans le contexte historique de la fin du XXe siècle et du début du XXIe, largement ébranlé par les conflits qui prennent les discours religieux en otage.

C'est peut-être ce qui explique la nécessité qu'éprouve l'auteur d'en passer par des figures de l'enfance dans ses récits : celles-ci apparaissent dans la naïveté et la pureté qui les caractérisent ; vierges de toute opinion préconçue, elles sont une écritoire sur lequel peut se jouer le dialogue de la vie.

ANALYSE DES PERSONNAGES

OSCAR

Oscar est un petit garçon âgé de 10 ans, qui souffre d'une leucémie, à laquelle il sait qu'il ne survivra pas. Depuis qu'on lui a diagnostiqué sa maladie, Oscar séjourne à l'hôpital avec d'autres enfants malades et s'est habitué à cette vie, bon gré mal gré. S'il se perçoit comme un « extraterrestre », ce qu'accentuent son crâne lisse – qui lui vaut d'ailleurs le surnom de Crâne d'Œuf – et sa faiblesse physique (p. 42), il est toutefois doté d'une grande force de caractère qu'il cultive avec sa maladie. Le garçon se situe du côté du vitalisme qui l'inscrit contre la mort : aussi, lorsque sa dernière heure approche, Oscar sent au fond de lui gronder la révolte.

Dans un premier temps, il dirige l'injustice de sa maladie contre ses parents : leur absence et leur incapacité à faire face à la situation énervent le jeune garçon qui, en plus de devoir porter ce fardeau pour lui-même, doit aussi le porter pour les autres, pour ceux qui devraient justement être là pour l'en alléger un peu. Aussi l'un des enjeux principaux du récit d'Éric-Emmanuel Schmitt est-il de permettre à Oscar de faire son propre deuil, de s'acheminer depuis la phase de la colère dans laquelle il se trouve vers celles de l'acceptation (pour lui) et de la reconstruction (pour les autres), deux étapes essentielles de l'accomplissement du deuil.

C'est dans ce processus qu'intervient la rencontre avec Mamie-Rose : grâce à elle, Oscar trouve progressivement la voie d'un apaisement personnel et familial. Le lecteur voit le jeune garçon gagner en maturité et en sagesse, ce que l'on trouve symbolisé dans le roman à travers les vœux qu'il adresse à Dieu : alors que ceux-ci sont, au début du texte, des souhaits qu'il fait pour lui-même, c'est pour les autres qu'il les formule au cours de ses derniers jours.

MAMIE-ROSE

Le personnage de la dame rose est le second protagoniste principal du récit. Mamie-Rose, ainsi que l'appelle Oscar, est une « dame rose » : elle fait partie des bénévoles qui donnent de leur temps pour visiter les enfants malades dans les hôpitaux.

Dans les yeux d'enfant d'Oscar, Mamie-Rose est une dame très âgée (« Vous êtes périmée ? », lui demande le garçon, p. 13). L'une des caractéristiques de la dame rose est qu'elle n'hésite pas à reprendre à son compte les indélicatesses naïves d'Oscar afin de tourner en dérision sa propre personne. Loin des discours policés tenus par les médecins, les infirmières et les parents d'Oscar, Mamie-Rose n'hésite pas à employer des « vilains mots » (p. 14) et à gentiment remonter les bretelles du garçon.

Ce franc-parler plaît à Oscar : en agissant de la sorte, Mamie-Rose continue à le traiter comme n'importe quel petit garçon et lui permet, le temps que durent leurs rencontres, de quitter son statut d'enfant malade pour retrouver celui de petit garçon « normal ». De plus, Oscar apprécie qu'il n'y ait pas de non-dits embarrassants entre eux : la maladie du garçon et sa mort prochaine sont évoquées, au même titre que d'autres sujets moins sérieux. Oscar sait qu'il peut avoir confiance en Mamie-Rose, car celle-ci se comporte avec lui dans la transparence la plus complète.

La relation de confiance qui lie les deux personnages se trouve renforcée par la vie extraordinaire que Mamie-Rose dit avoir vécue : elle est, lui affirme-t-elle, une ancienne catcheuse professionnelle. Ainsi le jeune garçon voit-il dans la vieille dame « périmée » la force d'une personnalité qui n'abandonne pas, qui ne cesse pas de se battre, un caractère que lui-même tente, tant bien que mal, de cultiver.

LES PARENTS D'OSCAR

Les parents d'Oscar sont d'emblée présentés dans le livre comme incapables d'assumer leur rôle de protection et de réconfort à l'égard de leur enfant. Maladroits, ils ne parviennent pas à dialoguer avec leur fils, laissant le poids de la maladie creuser un vide entre eux, et leurs gestes d'affection sont systématiquement mal perçus par le jeune garçon.

Or, il est important de remarquer que le point de vue adopté dans le récit est bien celui d'Oscar, et que ce n'est qu'à travers les yeux du garçon que le lecteur peut se faire une idée de ses parents. Aussi est-il probable que les problèmes de communication entre Oscar et ses parents proviennent d'une incompréhension réciproque, chacun ne parvenant pas à se mettre à la place de l'autre. À la suite d'une discussion avec Mamie-Rose, Oscar se rend compte de son attitude parfois égoïste envers ses parents : « Cependant est-ce que, sous prétexte que tu passes devant [que tu partiras le premier], tu as tous les droits ? Et le droit d'oublier les autres ? » (p. 84) C'est cette question-choc de Mamie-Rose qui servira d'étincelle à la réconciliation entre Oscar et ses parents, lors de la veillée de Noël.

LES AUTRES ENFANTS DE L'HÔPITAL

Les autres enfants de l'hôpital constituent des personnages essentiels d'*Oscar et la Dame rose* : ils forment la communauté des malades et ainsi la nouvelle « famille » d'Oscar, qui vit nuit et jour avec eux. Cette vie « entre soi », c'est-à-dire entre enfants malades, permet de laisser de côté la question de la normalité (la bonne santé) et de l'anormalité (la maladie) : le regard des autres ne pèse plus et il devient dès lors possible de mettre à distance la maladie, en l'envisageant par exemple sur le mode de l'humour, comme le font les enfants en se trouvant des surnoms qui, sortis du contexte, pourraient paraître cruels (Bacon le grand brûlé, Pop Corn le jeune obèse, etc.).

DIEU

Dieu est certainement le personnage le plus ambigu du roman. Bien qu'il fasse partie du récit, puisque c'est à lui que s'adresse Oscar, il n'existe toutefois pas en tant que personnage dans le livre. À la fois présent et absent, Dieu est la médiation (proposée et non imposée par Mamie-Rose) qui permettra de rétablir un double dialogue : d'une part, entre le garçon et ses parents ; d'autre part, à l'intérieur d'Oscar lui-même, l'écriture des lettres permettant à l'enfant de prendre du recul par rapport à sa situation et à ses actes.

ANALYSE DES THÉMATIQUES

LA MALADIE ET LA MORT

La maladie et la mort sont au cœur du roman. Plus encore, cette thématique est liée dans le récit à la figure d'un enfant, obligeant le lecteur à penser ce qui devrait demeurer de l'ordre de l'impensable. En effet, la disparition d'un jeune être est d'autant plus insupportable que la tradition associe volontiers à ce dernier les qualités de pureté, de candeur et de naïveté. De plus, elle entraîne une rupture de la chaîne logique des générations et met en évidence un terrible dérèglement de la vie auquel personne n'est prêt à faire face.

L'anormalité de la situation permet de mieux comprendre l'impuissance des parents d'Oscar : ceux-ci ne parviennent pas à trouver l'attitude juste à adopter avec leur fils. Par exemple, le père du jeune garçon, complètement démuni, lui apporte maladroitement des jouets, ce qu'il considère comme une marque d'affection, alors qu'Oscar ne souhaite qu'une seule chose : que tous deux puissent enfin parler à cœur ouvert.

L'impossibilité de discuter de la maladie est la source d'une grande incompréhension entre les protagonistes. Le texte lui-même mime ce phénomène d'évitement en ne parlant que très peu du cancer d'Oscar, ne l'évoquant que grâce à une euphémisation, par l'intermédiaire de « symptômes » (le garçon est souvent fatigué et a besoin de repos) qui laissent seuls apparaître le diagnostic.

De son côté, Oscar sent également peser sur lui le poids d'une lourde culpabilité : « Je me sens coupable », répète-t-il à plusieurs endroits du récit, avant de poursuivre, « je suis devenu un mauvais malade, un malade qui empêche de croire que la médecine, c'est formidable »

(p. 11). Face au Dr Düsseldorf, le garçon se sent fautif, s'imputant l'échec des traitements prodigués par la médecine moderne à soigner son mal, échec qui devient la marque d'une punition.

Éric-Emmanuel Schmitt aura néanmoins tôt fait de déjouer cette idée : Oscar n'est pas responsable de la maladie qui l'habite. Celle-ci tient de la malchance, et la seule chose qu'il convient de faire, dès lors que la médecine se révèle impuissante, est de l'apprivoiser, d'apprendre à vivre avec elle. Tel est l'enjeu de la seconde partie du récit, celle qui correspond à la phase d'acceptation par le jeune garçon de sa mort prochaine. Accompagné sur ce chemin par Mamie-Rose, Oscar prend peu à peu conscience que s'il est légitime d'appréhender la mort, il est absurde de craindre l'idée de la mort : « La souffrance physique, on la subit. La souffrance morale, on la choisit. » (p. 64)

À la suite de cet échange, Oscar fait preuve d'une maturité étonnante dans les réponses qu'il donne : tandis que Mamie-Rose le questionne, le garçon assure que c'est moins la peur de l'inconnu qui le paralyse que la peur de la perte du connu (p. 66), une réaction qui témoigne de l'évolution altruiste d'Oscar, s'inquiétant à la fin du récit davantage pour ceux qui vont rester que de son propre sort.

Si le lecteur assiste à la détérioration de l'état de santé du jeune garçon, le procédé épistolaire choisi par l'auteur implique que le décès du jeune garçon soit révélé par une personne tierce. C'est à Mamie-Rose que l'écrivain confie cette tâche délicate. Dans une ultime et émouvante lettre, la dame rose écrit très sobrement que « le petit garçon est mort » (p. 98) – une annonce préparée par l'auteur qui fait prononcer à Oscar ces quelques mots, tout en délicatesse et en prudence, dans la lettre qui précède : « Je crois que je commence à mourir. » (p. 98)

LE COURAGE ET LA LÂCHETÉ

L'image d'Oscar qui se dessine pour le lecteur est celle d'un petit garçon au courage extrême. En effet, tout au long du récit, le courage est considéré comme une valeur fondamentale à cultiver.

Lorsque Mamie-Rose l'interroge sur les personnes qu'il apprécie à l'hôpital, Oscar mentionne différents enfants parmi ceux qui l'entourent, puis, plus particulièrement, Peggy Blue. Le courage prend alors une forme originale : la dame rose pousse le garçon à se révéler auprès de la jeune fille, lui affirmant qu'il est temps pour lui d'avoir « le courage de [s]es sentiments » (p. 44). Écoutant son cœur, Oscar se présente à Peggy Blue et lui promet de « [monter] la garde devant [s]a porte pour [la] protéger des fantômes » (p. 45). La témérité du jeune Oscar lui fait quitter le monde des apparences, dans lequel il est un enfant malade et chétif, pour endosser les traits de celui qu'il est véritablement : un prince (p. 44), brave et généreux, se vouant à la protection des autres, et surtout des plus faibles.

Comme on le voit, dans *Oscar et la Dame rose*, le courage est moins compris comme une audace dont le personnage tire une gloire personnelle, que comme la capacité à affronter dans la dignité les épreuves que la vie met sur notre route, c'est-à-dire sans tomber dans le repli sur soi, mais en restant à l'écoute des autres, en acceptant leur aide et en restant attentif à leurs sentiments pour leur proposer la nôtre quand ils en ont besoin.

Le courage s'oppose directement dans le récit à la lâcheté. Dans sa deuxième lettre adressée à Dieu, Oscar dit être très en colère contre ses parents : alors qu'ils viennent d'apprendre, par le Dr Düsseldorf, que leur fils est condamné, ceux-ci refusent d'aller l'embrasser (« Je n'aurais jamais le courage », déclare la mère d'Oscar ; p. 26). Oscar, qui écoute caché derrière la porte, reçoit cette nouvelle comme une offense terrible : « C'est là que j'ai compris que mes parents étaient deux lâches. » (p. 27) Ce que le jeune garçon reproche à ses parents – et qui est l'élément sur lequel repose la première partie du livre, celle de la révolte –, c'est cette incapacité à affronter la réalité des choses. Oscar comprend cette réaction comme un abandon : désormais, pense-t-il, il ne peut plus compter que sur lui-même pour vivre ses derniers moments, et c'est à lui d'aller puiser dans son extrême faiblesse le courage de lutter pour sa vie, jusqu'au bout.

LE JEU DU « COMME SI »

Toutefois, Oscar n'est pas seul dans cette épreuve : il y a Mamie-Rose, cette drôle de vieille dame aux manières peu orthodoxes qui, pour soutenir le garçon et l'aider à accepter la réalité des choses, crée le jeu du « comme si ». À plusieurs reprises dans le roman, Éric-Emmanuel Schmitt, par le relais fictionnel de Mamie-Rose, montre la réalité sous un aspect métaphorique. Cette démarche littéraire n'a pas pour objectif de renier ou de masquer les difficultés que rencontre Oscar, mais de lui permettre de les braver, non pas en y résistant de front, mais en rusant avec elles, en les envisageant sous un autre jour.

La plus belle illustration de ce procédé est l'épisode de la légende des 12 jours divinatoires, rapportée dans la deuxième lettre. Après l'annonce de l'incurabilité de la maladie d'Oscar, Mamie-Rose raconte au jeune garçon une histoire de son pays dans laquelle il est dit que les 12 jours qui précèdent le Nouvel An représentent, de manière concentrée, les 12 mois de l'année à venir. S'inspirant de cette légende populaire, la vieille dame propose à Oscar de vivre désormais chaque jour qui passe comme s'il reflétait dix ans de la vie qu'il aurait eu à vivre.

Le choix du nombre 12 n'est pas anodin : celui-ci est porteur d'une symbolique forte. Outre le sens qu'il revêt dans le christianisme (la Bible parle des 12 tribus d'Israël, des 12 apôtres du Christ, des 12 portes de la Jérusalem céleste, etc.), ce nombre symbolise l'unité de mesure du temps achevé : les 12 heures du jour et de la nuit, les 12 mois de l'année. Ce nombre incarne la perfection du cycle, et les 12 jours qu'il reste à vivre à Oscar deviennent, grâce au jeu du « comme si », la possibilité d'une existence à vivre.

De ce point de vue, la mort prochaine du jeune garçon perd son caractère tragique : elle n'est plus considérée comme l'anéantissement brutal d'une vie à peine entamée, mais est envisagée comme la fin organique d'un cycle, l'achèvement d'un destin. La symbolique de la cyclicité est réaffirmée dans la neuvième lettre, par l'introduction dans le récit de la plante du Sahara, « qui vit toute sa vie en un seul jour » (p. 89) : bien que « chétive », cette plante fait « bravement tout son boulot de plante, comme une grande » (p. 89-90) – un cadeau de Mamie-Rose qui est une métaphore admirable de la situation du jeune garçon.

L'adaptation de la légende des 12 jours divinatoires offre un condensé d'existence : en l'espace de quelques jours, Oscar est confronté aux interrogations qui jalonnent la vie d'un homme, l'amenant à enrichir son statut d'enfant d'une maturité qu'il puise dans cet apprentissage accéléré de la vie.

Cette histoire n'est pas la seule à jouer un rôle de passeur dans *Oscar et la Dame rose* : Éric-Emmanuel Schmitt a fréquemment recours à la fiction pour inciter Oscar – et le lecteur – à changer sa vision du monde et des épreuves qu'il endure. Parmi les nombreux exemples qui émaillent le récit, on peut en relever quelques-uns :

- dans la troisième lettre, Oscar parle à Mamie-Rose des « fantômes » qui hantent les couloirs et les chambres de l'hôpital à la nuit tombée. Par l'utilisation de cette métaphore, Oscar et les autres enfants matérialisent ce qui correspond en fait à leurs propres terreurs nocturnes – une manière de faire qui leur permet de rendre concrète une chose qui ne l'est pas, de se forger un adversaire qu'ils peuvent combattre ;

- d'autres parenthèses fictionnelles résident dans les anecdotes de la vie de Mamie-Rose, que celle-ci relate au jeune garçon. Toutes plus rocambolesques les unes que les autres, ces histoires (dont le lecteur comprend à la fin du livre qu'elles sont issues de l'imagination de la vieille dame) permettent à l'ancienne catcheuse d'illustrer telle vertu d'audace, d'inventivité, de persévérance…, nécessaire à Oscar à un moment de son initiation à la vie. Ainsi en va-t-il de Sarah Youp La Boum, la catcheuse au corps huilé que Mamie-Rose n'a réussi à vaincre qu'avec l'aide de ses amis qui l'ont enveloppée de farine, la vieille dame terminant son récit en affirmant : « Y a toujours une solution, Oscar, y a toujours un sac de farine quelque part. » (p. 31)

Parfois, c'est à l'intertextualité que l'écrivain fait appel. Les références qu'il convoque sont les contes pour enfants (lorsque Peggy Blue se transforme aux yeux d'Oscar en Blanche-Neige, alors que lui-même endosse le rôle de prince), la littérature générale (quand leur amour se développe à l'image de l'amour courtois médiéval, le jeune garçon se muant en preux chevalier volant au secours de la princesse) ou même la musique (la *Valse des flocons* tirée du ballet *Casse-Noisette* de Tchaïkovski, qu'Oscar et Peggy écoutent ensemble, un petit morceau de féerie qui les emmène hors du temps et leur fait oublier l'hôpital l'espace d'un instant).

LE POUVOIR DE LA PAROLE

Cette utilisation particulière de la fiction dans *Oscar et la Dame rose* laisse apparaître en filigrane l'une des convictions les plus fortes de l'œuvre d'Éric-Emmanuel Schmitt : le pouvoir de la parole. Pour l'écrivain, le langage est plus qu'un outil : c'est une parole vivante qui possède un véritable pouvoir et qui peut, à ce titre, agir sur l'homme. Pas question dès lors de l'utiliser à tort et travers.

En affirmant cela, Éric-Emmanuel Schmitt rejoint les deux courants de pensée majeurs que l'on retrouve dans son récit : la philosophie grecque, avec le concept de *logos* (« parole vivante »), et le christianisme, pour lequel, comme il est dit au début de l'Évangile de Jean, « le Verbe s'est fait chair » (Jn 1,1). Or c'est bien parce qu'ils ne lui disent pas les choses comme elles sont que les parents d'Oscar le blessent. C'est là que réside le problème de communication qui structure la relation entre le garçon et ses parents dans la première partie du livre : si dire les choses peut les faire changer, ne pas les dire n'implique en aucun cas qu'elles disparaissent.

La parole que l'enfant pose sur le monde est une parole de vérité, mais celle-ci n'entretient pas le même rapport avec la réalité que pour un adulte. Tandis que l'adulte décrit le monde avec objectivité, l'enfant l'interprète tel qu'il le comprend, ce qui explique qu'à l'appellation médicale de « cyanose congénitale » (celle, médicale, des adultes) répond l'affectueux surnom de « Peggy Blue » (celui des enfants). Il n'est pas une vision du monde qui soit meilleure que l'autre : ce sont deux niveaux de lectures, complémentaires, de la réalité.

Parmi les adultes, seule Mamie-Rose semble avoir conservé un regard d'enfant. Son rapport naïf au monde, marqué par l'étonnement et le questionnement, la rapproche d'une figure de « sage », qu'elle revêt d'autant mieux qu'elle est présentée dans le livre comme une très vieille dame. Privilégiant le dialogue et laissant à Oscar le soin de tirer lui-même les conclusions de leurs discussions et des anecdotes qu'elle lui raconte, la dame rose pratique, en toute simplicité, la méthode philosophique de Socrate (la maïeutique). Sans jamais se placer du côté de la parole morale (celle qui dit ce qu'il faut faire), Mamie-Rose préfère la parole vraie (celle qui dit comment on pourrait aussi voir les choses). C'est en ce sens que les légendes (les fictions) qu'elle raconte à Oscar sont vraies : parce qu'elles permettent de mieux vivre. La légende ne nie pas la réalité : elle lui donne une autre couleur.

Dans *Oscar et la Dame rose*, la parole construit le monde : elle est ce qui donne du sens, et la démarche d'Oscar est celle d'une interprétation de la vie. Interpréter, c'est dépasser le sens commun des mots, les définitions du dictionnaire, pour comprendre ce qui a vraiment lieu. Ainsi, la visite de Dieu n'est comprise comme telle que parce le garçon nomme de cette façon cet événement, auquel il aurait pu ne pas donner un sens particulier. Pendant qu'il observe l'aube naissante dans son lit, Oscar se sent envahi par un sentiment océanique qui le pousse à interpréter le moment qu'il est en train de vivre comme la visite divine tant attendue (lettre 11). Se laissant guider au-delà des mots par ses perceptions et par ses émotions, Oscar fait de cet instant d'émerveillement celui de la rencontre avec Dieu et la révélation de la profondeur du mystère des choses (p. 96) : « Regarde chaque jour le monde comme si c'était la première fois. » (p. 95) Car, comme Oscar le comprend peu avant de mourir, l'existence n'est pas un cadeau : c'est un prêt que l'on rend et qui sera donné ensuite à quelqu'un d'autre, comme le veut le cycle de la vie (p. 97).

STYLE ET ÉCRITURE

LA FORCE DE LA FICTION

Si la fiction joue un rôle important dans *Oscar et la Dame rose*, c'est parce que, pour son auteur, celle-ci peut influencer la façon dont l'homme mène son existence et l'aider à atteindre ce que les philosophes grecs antiques appelaient une « vie bonne » (*eudaimonia* en grec). Comme les anecdotes de Mamie-Rose pour Oscar, le récit d'Éric-Emmanuel Schmitt peut également devenir, pour le lecteur qui traverse une situation similaire difficile, un soutien, un ami de papier dans lequel trouver du réconfort.

Pour que cette rencontre puisse avoir lieu, il faut qu'une communication privilégiée se crée entre le lecteur et le livre. Cette relation se construit sur la base d'un sentiment de sympathie que le lecteur éprouve à l'égard du ou des personnages principaux. Néanmoins, dans le cadre d'une thématique grave comme celle traitée dans *Oscar et la Dame rose*, il est préférable pour l'écrivain de ménager dans le texte un espace qui suscite certes une empathie, mais une empathie critique : la tonalité de l'histoire n'est pas pathétique, et l'auteur ne cherche pas seulement à émouvoir le lecteur, mais plutôt à lui montrer qu'il est possible de dépasser la révolte (légitime) que provoque la mort d'un enfant.

Afin de cultiver cette empathie critique, le texte procède selon un double mouvement de rapprochement et de distanciation. D'une part, le genre épistolaire favorise la création d'un climat de confiance, que vient conforter la forte présence de l'oralité et du dialogue, alors que, d'autre part, l'utilisation de l'humour, voire du sarcasme, permet de désamorcer la gravité de la situation.

UN DRÔLE DE GENRE

Oscar et la dame rose est à bien des égards un récit déroutant pour le lecteur. Au-delà de la thématique, c'est le genre même du livre qui étonne : pour le moins inclassable, il tient à la fois du conte philosophique, du conte métaphysique et du genre épistolaire.

Du conte philosophique au conte métaphysique

Très en vogue au XVIIIe siècle, le conte philosophique est un genre littéraire dont les représentants les plus célèbres sont Jonathan Swift (*Les Voyages de Gulliver*, 1726), Voltaire (*Candide*, 1759) et Denis Diderot (*Jacques le Fataliste et son Maître*, 1796). Le conte philosophique est une histoire qui se veut une critique de la société destinée à faire passer certaines idées ou valeurs philosophiques et dans laquelle le conte permet à l'auteur d'éviter la censure à laquelle il pourrait voir son livre exposé.

À l'image du conte philosophique, *Oscar et la Dame rose* est un récit hybride, qui se nourrit de nombreuses influences telles que :

- **le roman d'aventures**, par les péripéties qu'il met en œuvre (la fugue organisée d'Oscar, racontée dans la lettre 7) ;
- **le mémoire**, genre très en vogue durant le classicisme et le Siècle des lumières qui consiste à exposer son opinion (à argumenter) sur un sujet donné, une idée spécifique (la digression de Mamie-Rose à propos de la souffrance, dans la lettre 4) ;
- **le conte**, par sa brièveté, son action située dans un temps indéterminé et un univers clôt, qui ressemble au nôtre. Le conte comporte un nombre limité de personnages aux fonctions bien définies, qui s'organisent en système (dans *Oscar et la Dame rose*, c'est l'hôpital, avec ses médecins, ses infirmières et ses malades, où chacun possède son rôle propre). En outre, le conte se termine par une morale (ce à quoi ne manque pas de faire penser la dernière lettre du livre, celle de Mamie-Rose).

Toutefois, *Oscar et la Dame rose* se distingue du conte philosophique dans la mesure où, tandis que ce dernier emprunte volontiers au genre picaresque son côté parodique, le récit d'Éric-Emmanuel Schmitt préfère à l'ironie mordante une douce bienveillance. L'écrivain laisse ainsi de côté la raillerie et prend le parti d'un livre constructif et éthique, qui amène le lecteur à trouver derrière la fable des sentiers permettant d'accéder à une « vie bonne ».

En ce sens, *Oscar et la Dame rose* peut également être considéré comme un conte métaphysique et peut être lu en parallèle du *Petit Prince*, d'Antoine de Saint-Exupéry (1943). Si elles s'adressent en particulier au Dieu du christianisme, les lettres d'Oscar se font l'écho d'une démarche intellectuelle et spirituelle plus large. En apprenti métaphysicien, le jeune garçon tente de faire la lumière sur le monde et l'homme. Dépassant les contingences du réel, il interroge l'existence dans ses notions les plus profondes et les plus complexes : l'espace, le temps, l'existence de Dieu, le destin – en somme, le sens de la vie, dans laquelle il place une confiance absolue, même face à la mort.

Un récit épistolaire

Oscar et la Dame rose est également un récit épistolaire. L'ouvrage possède trois caractéristiques propres au genre :

- il s'agit de missives fictionnelles ;
- le livre ne contient que les lettres envoyées par Oscar. Néanmoins, si celles-ci restent sans réponses (écrites, à tout le moins, car la « visite » de Dieu dans la lettre 11 est bien une « réponse » aux prières du garçon), un véritable dialogue s'instaure dans la mesure où c'est parce qu'il s'adresse à quelqu'un (à Dieu) qu'Oscar s'engage pleinement dans une démarche réflexive ;

- même s'il s'agit de lettres, la narration y occupe une place importante. Le livre offre donc un mélange de récit et de dialogue, privilégiant l'oralité du texte.

L'ORALITÉ

Le livre d'Éric-Emmanuel Schmitt accorde une grande place à la dimension orale du langage. La première explication qui peut être donnée à ce phénomène tient en ce que les lettres sont censées avoir été rédigées par un garçon âgé de 10 ans, et non par un écrivain qui maîtrise et joue avec la langue. Aussi le niveau de langage employé tient-il dans certains passages davantage du familier, que du soutenu. L'écrivain est attentif à ce que la parole de l'enfant puisse être admise comme telle, et ce, quel que soit l'aspect linguistique retenu.

D'un point de vue syntaxique, l'écrivain favorise les négations incomplètes ainsi que la suppression de certains pronoms personnels sujets, qui ont pour effet de renforcer l'oralité du texte. Dans la lettre 2, alors qu'ils discutent de Dieu, Oscar dit à Mamie-Rose que ses parents ne lui en ont parlé qu'une seule fois, « pour dire qu'ils y croyaient pas » (p. 32-33). Et la conversation se poursuit par cette exclamation du jeune garçon : « Pouvez pas imaginer ! » (p. 33)

La mise en évidence syntaxique, par l'entremise d'une répétition pronominale ou d'un présentatif (« c'est », « il y a »), est également une caractéristique du langage de l'enfant : « Finalement, c'est moi qui avais gagné ! » (p. 54), s'exclame Oscar, lorsqu'il conquiert le cœur de Peggy Blue ; ou encore, cet autre exemple, lorsque le garçon se retrouve enfermé dans un placard à balais : « Comme si on avait peur que, la nuit, les balais, les seaux et les serpillières, ils se barrent ! » (p. 27)

D'un point de vue lexical, le récit fait régulièrement appel à un registre langagier de type argotique, ce dont témoignent des termes comme « déconner », « furax » ou encore « tarés » (p. 33), mais aussi plusieurs expressions comme « Merde, j'ai trente ans tout de même ! » (p. 68), « Alors topez là, Mamie-Rose » (p. 71) ou encore « Voilà, Dieu, la suite, je te la fais brève », où l'on trouve également un procédé de mise en évidence syntaxique (p. 84). Ce langage sans fioriture, cette « parole vraie », est également celle de la dame rose (« Elle a une façon de parler, Mamie-Rose, qui donne de l'énergie », p. 53), ce qui surprend et plaît tout de suite à Oscar :

> « Merde !
> – Mamie-Rose, vous dites des vilains mots.
> – Oh, toi, le môme, lâche-moi la grappe un instant, je parle comme je veux. » (p. 14)

Enfin, la présence massive de la conjonction de coordination « donc », comme ponctuant fort du discours, est un dernier indice de l'invention d'un langage enfantin : « Donc faut que tu fasses un effort pour voir de qui je parle » (p. 12), « Donc : mariage d'Oscar et de Peggy. Oui ou non. » (p. 55)

Le dialogue constitue un autre élément essentiel du roman. Si son utilisation est liée au genre épistolaire, le dialogue est aussi très utilisé dans le corps même des missives. Or cet emploi est d'autant plus étonnant qu'il est contre-intuitif : dans une lettre, le lecteur s'attend à ce qu'une conversation soit résumée et rapportée sur le mode du discours indirect (« Mamie-Rose a dit que... »), non sur le mode du discours direct. On peut interpréter cette manœuvre comme une volonté de la part de l'auteur d'amener le récit du côté du texte théâtral (le dialogue étant le mode par défaut du théâtre) et, donc, du côté de l'oralité – comme on le voit aussi dans la phrase suivante, où les allitérations sont frappantes : « Tu vas devenir une décharge à vieilles pensées qui puent si tu ne parles pas. » (p. 20) Ce recours au théâtre n'est pas étonnant : Éric-Emmanuel Schmitt est d'abord un dramaturge, et le théâtre permet d'introduire dans le récit la polyphonie, c'est-à-dire la diversité des points de vue.

L'HUMOUR

Éric-Emmanuel Schmitt a recours à l'humour pour désamorcer le tragique inhérent à la thématique qu'il aborde. Désamorcer le tragique ne signifie pas faire abstraction du drame qui a lieu, mais plutôt le mettre à distance afin de ne pas se laisser submerger par lui. Cette opération est salutaire pour Mamie-Rose : en tant que dame rose, elle est sans cesse confrontée à la mort d'enfants qui vivent à l'hôpital, et c'est à elle de se montrer forte pour soutenir les jeunes malades qui en ont besoin. En ce sens, une empathie totale à l'égard des enfants pourrait entraver son action thérapeutique.

Les épisodes dans lesquels domine l'humour ne manquent pas dans le roman, à commencer par le récit que fait Mamie-Rose de ses combats de catch passés. À la lecture de la liste que dresse Oscar des terribles adversaires de la vieille dame dans la première lettre, le lecteur ne peut s'empêcher d'avoir le sourire aux lèvres :

> « L'Étrangleuse du Languedoc contre la Charcutière du Limousin, sa lutte pendant vingt ans contre Diabolica Sinclair, une Hollandaise qui avait des obus à la place des seins, et surtout sa coupe du monde contre Ulla-Ulla, dite la Chienne de Buchenwald, qui n'avait jamais été battue, gmême par Cuisses d'Acier. » (p. 15)

Parfois, l'humour tient à l'insertion dans une phrase d'un terme appartenant à un autre registre de langage (souvent, le langage familier), comme c'est le cas dans la description que fait Oscar de Peggy Blue : « Elle était posée sur son lit, on aurait dit Blanche-Neige lorsqu'elle attend le prince, quand ces couillons de nains croient qu'elle est morte. » (p. 44) Enfin, le caractère comique d'un passage peut résider dans les images choisies par le petit garçon pour expliquer, avec ses yeux d'enfant, une situation : si Oscar comprend que la Chinoise souhaite l'embrasser, c'est, dit-il, parce qu'« elle [lui] fait une grimace pas possible avec ses lèvres qu'elle pousse en avant, on dirait une ventouse qui s'écrase sur une vitre. » (p. 47)

Il arrive que l'humour se transforme en sarcasme, notamment lorsqu'Oscar parle de ses parents, dans la première partie du livre. Le garçon n'accepte pas la maladresse relationnelle de ses parents, et ses remarques à leur égard sont cinglantes, à la limite de la cruauté. À propos de son père, Oscar dit qu'« il est champion du monde du dimanche après-midi gâché » (p. 49), et, de ses parents, qu'ils sont « deux crétins pareils, qui ont l'intelligence d'un sac-poubelle » (p. 78). Cependant, après la veillée de Noël, cette méchanceté, qui camoufle en réalité une profonde détresse, cédera la place à une bienveillance pleine d'amour filial.

LA RÉCEPTION *D'OSCAR ET LA DAME ROSE*

UN SUCCÈS DE LIBRAIRIE...

Dès sa sortie en librairie, en 2002, *Oscar et la Dame rose* a reçu un accueil des plus favorables. Dans leurs critiques, les journalistes louent la simplicité et le naturel apparents avec lesquels l'écrivain traite un sujet pourtant si difficile. Les articles soulignent en outre l'équilibre de ce récit au genre inédit, qui mêle la gravité à l'espérance. Les témoignages ne manquent pas : c'est « un livre de lumière », indique Violaine Gelly, dans *Psychologie* ; « un prodigieux conte métaphysique sur la souffrance et la lâcheté. Un conte pour réconcilier le matérialisme athée avec l'espoir de la foi », écrit François Busnel, dans *L'Express* ; « un conte philosophique lumineux dont on ressort plein d'espoir, malgré la gravité du propos », conclut Isabelle Blandiaux, dans le quotidien belge *La Dernière Heure*.

L'un des signes du succès du livre d'Éric-Emmanuel Schmitt réside dans le nombre impressionnant de traductions d'*Oscar et la Dame rose* qui ont été réalisées depuis 2002 : plus d'une trentaine de langues, en ce compris l'anglais, l'allemand, l'espagnol ou l'italien, en passant par le roumain, le tchèque, le bulgare, et même le chinois, le japonais, le perse et le basque.

Oscar et la Dame rose a également obtenu de nombreux prix. En 2004, il reçoit le prix Jean Bernard de l'Académie nationale de médecine ainsi que le prix Chronos l'année suivante, alors que les lecteurs du magazine *Lire*, dans un sondage, le classent dans les livres qui ont changé leur vie, aux côtés de la Bible, du *Petit Prince* et des *Trois*

Mousquetaires. En 2006, c'est l'ensemble du Cycle de l'invisible qui se voit attribuer le Grand Prix étranger, décerné par les Scriptores Christiani, une association littéraire chrétienne.

... MAIS AUSSI DE THÉÂTRE

Dès 2003, *Oscar et la Dame rose* est adapté au théâtre. Dans une mise en scène de Christophe Lidon, la pièce est présentée à la Comédie des Champs-Élysées, avant d'entamer une tournée nationale en 2003-2004. La pièce est un succès, auquel n'est pas étrangère la magnifique performance de Danielle Darrieux. Cette dernière, à qui est dédicacé le livre, reçoit en 2003 le Molière de la meilleure comédienne pour sa double interprétation de l'enfant et de la dame rose.

La pièce ne cesse d'être reprise tout au long des années 2000. Après Danielle Darrieux, Anny Duperey incarne le rôle principal au théâtre de l'Œuvre (2005-2006), puis pour une tournée nationale (en 2005-2005, 2007-2008 et 2008-2009). En Belgique, c'est Jacqueline Bir qui reprend le flambeau au théâtre du Vaudeville en 2004, puis dans le cadre d'une tournée nationale et dans les pays limitrophes au cours de la saison 2008-2009. Au Québec, le rôle est assuré par Rita Lafontaine : la pièce est montée en 2004 au théâtre du Rideau vert, puis en 2007 au théâtre du Nouveau Monde et pour une tournée nationale.

Depuis sa création en 2003, la pièce a été jouée dans plus d'une trentaine de pays (Argentine, Chili, États-Unis, Israël, Liban, Turquie, Pologne, Chine...), indice de l'universalité du message dont est porteur le texte d'Éric-Emmanuel Schmitt, qui dépasse largement les frontières géographiques et les divergences confessionnelles.

ET DE CINÉMA !

En décembre 2009 sort en Belgique et en France l'adaptation ciné-matographique réalisée par Éric-Emmanuel Schmitt. L'écrivain n'en est pas à son coup d'essai : en 2007, déjà, il avait réalisé *Odette Toulemonde*, une œuvre cinématographique qui lui inspirera en parallèle une nouvelle. *Oscar et la Dame rose* réunit Michèle Laroque (dans le rôle de Rose) et Ami Ben Abdelmoumen (dans le rôle d'Oscar), qu'accompagnent Amira Casar (Madame Gommette, l'infirmière principale), Mylène Demongeot (Lily, la mère de Rose) et Max von Sydow (le Dr Düsseldorf).

Tourné au Canada et à Bruxelles, le film reste fidèle à l'esprit du livre, mais s'en éloigne par certains aspects, parfois importants. Ainsi, le personnage de Mamie-Rose, interprété par Michèle Laroque, n'est plus une vieille dame, visiteuse d'hôpital, mais une femme, Rose, à la vie déstabilisée : divorcée, elle entretient des rapports complexes avec ses enfants et sa mère, et tente de lancer sa propre activité professionnelle (elle cuisine). Tandis qu'elle vend ses pizzas faites maison à l'hôpital, tout habillée de rose, elle tombe par hasard sur Oscar qui se prend d'affection pour elle. Un contrat est alors passé entre le Dr Düsseldorf et la « dame rose » : l'hôpital lui achètera des pizzas, si elle accepte de venir passer, chaque jour, un peu de temps avec le jeune garçon. Au fur et à mesure qu'avance l'histoire, ce qui n'est au départ qu'une transaction commerciale devient une véritable expérience de vie pour Rose, à laquelle elle ne s'attendait pas, et qui lui permettra d'avancer dans sa propre existence.

Tout comme le livre, le long métrage met en avant la fiction et les jeux avec l'imaginaire : on voit soudainement apparaître dans ce film plutôt réaliste des fantômes, ainsi que des scènes qui confinent au fantastique. Ces passages, aux allures oniriques, relatent les anciens combats de catcheuse de Rose, dans une veine qui rappelle l'esthé-tique du fantastique belge. Le film a reçu le prix Ola de Oro, décerné par le magazine CinemaNet.

Afin de compléter ce panorama déjà bien fourni, on signalera encore la composition par Francis Bollon d'un opéra, *Oscar und die Dame in rosa*, joué au Theater Freiburg (Fribourg) en 2014, ainsi que l'exis-tence d'un livre audio, lu et interprété par Éric-Emmanuel Schmitt lui-même, accompagné des musiques de Tchaïkovski et de Bizet.

Votre avis nous intéresse !

*Laissez un commentaire sur le site de votre libraire en ligne
et partagez vos coups de cœur sur les réseaux sociaux !*

BIBLIOGRAPHIE

SOURCES BIBLIOGRAPHIQUES

- SCHMITT (Éric-Emmanuel), *Oscar et la Dame rose*, Paris, Albin Michel, 2002.
- *Eric-Emmanuel Schmitt.com*, consulté le 14 mars 2016. http://www.eric-emmanuel-schmitt.com/Accueil-site-officiel. html
- FERRY (Luc), *Paroles de philosophes. Qu'est-ce qu'une vie bonne ?*, Paris, Dalloz, 2009.
- « *Oscar et la Dame rose* », in *Eric-Emmanuel Schmitt.com*, consulté le 14 mars 2016 http://www.eric-emmanuel-schmitt.com/Litterature-recits-oscar-et-la-dame-rose.html
- TRITTER (Jean-Louis), *Le conte philosophique*, Paris, Ellipses, coll. « Thèmes & Études », 2008.

SOURCES COMPLÉMENTAIRES

- HSIEH (Yvonne Ying), *Éric-Emmanuel Schmitt ou la philosophie de l'ouverture*, Birmingham, Summa Publications, 2006.
- HSIEH (Yvonne Ying), « Ars Moriendi ou que faire devant la mort : le Cycle de l'invisible d'Éric-Emmanuel Schmitt », in *Frontières*, vol. 19, n° 2, 2007, p. 62-67.
- MEYER (Michel), *Éric-Emmanuel Schmitt ou les identités boulever-sées*, Paris, Albin Michel, 2004.
- VIGEANT (Louise), « Le Grand Visiteur », in *Jeu : revue de théâtre*, n° 75, 1995, p. 137-141.

SOURCE ICONOGRAPHIQUE

- Portrait d'Éric-Emmanuel Schmitt. © Asclepias.

Découvrez
nos autres analyses sur

www.profil-litteraire.fr

Éditeur responsable : Lemaitre Publishing
Avenue de la Couronne 382 | B-1050 Bruxelles
info@lemaitre-editions.com

ISBN ebook : 978-2-8062-6604-0
ISBN papier : 9782806277268
Dépôt légal : D/2016/12603/129
Couverture : © Lisiane Detaille.

37446094R00029

Made in the USA
San Bernardino, CA
18 August 2016